E PIL
Pilkey, Dav, 1966-
Hally Tosis

S0-AWI-379

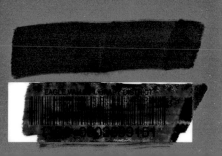

Hally Tosis

El Horrible Problema De Un Perro

por Dav Pilkey

EDITORIAL JUVENTUD

Para mamá y papá y Halle

GYPSUM PUBLIC LIBRARY
P.O. BOX 979 753 VALLEY RD.
GYPSUM, CO 81637

Queda rigurosamente prohibida, sin la autorización escrita
de los titulares del copyright, bajo las sanciones establecidas
por las leyes, la reproducción parcial o total de esta obra por
cualquier procedimiento, comprendidos la reprografía
y el tratamiento informático, y la distribución de ejemplares
mediante alquiler o préstamo públicos.

La edición original de esta obra ha sido publicada
por Scholastic Inc. con el título de Dog Breath
© Dav Pilkey, 1994. Todos los derechos reservados
© de la traducción española:
EDITORIAL JUVENTUD, S. A.
Provença, 101 - 08029 Barcelona
E-mail: editorialjuventud@retemail.es
www.editorialjuventud.es
Tercera edición, 2001
ISBN: 84-261-2948-X
Depósito legal: B.39.574-2001
Núm. de edición de E. J.: 9.970
Impreso en España - Printed in Spain
Ediprint, Llobregat, 36 - 08291 Ripollet (Barcelona)

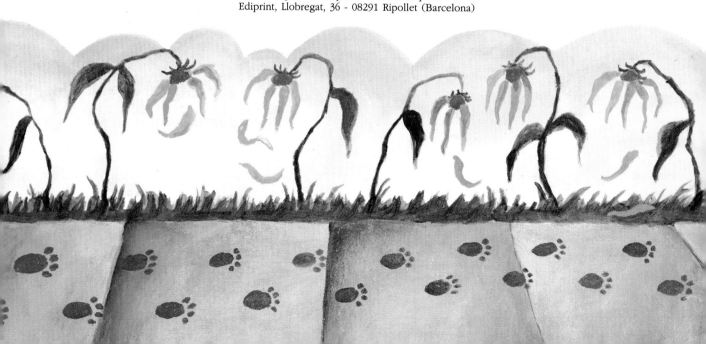

Érase una vez un perro llamado Hally
que vivía con la familia Tosis.
Hally Tosis era un perro estupendo,
pero tenía un grave problema.

Hally Tosis tenía un aliento espantoso.
Cada vez que abría la boca
ocurrían cosas horribles.

Cuando los niños sacaban
a Hally Tosis a pasear,

todos los demás cambiaban de acera.
Incluso las mofetas evitaban a Hally Tosis.

Pero el verdadero problema
empezó el día que la abuela Tosis
pasó a tomar el té...

y Hally saltó para saludarla.

Al señor y a la señora Tosis
no les hizo ninguna gracia.
—Hay que hacer algo con este perro apestoso
—dijeron.

El señor y la señora Tosis decidieron buscar un nuevo hogar para Hally.

Los niños sabían que la única forma
de salvar a su perro era acabar
con su mal aliento. Llevaron a Hally Tosis
a la cima de una montaña
cuya vista dejaba sin aliento.

Esperaban que una vista así
dejaría sin aliento a Hally

... pero no fue así.

Más tarde los niños llevaron a Hally Tosis
a ver una película trepidante.

Esperaban que las emociones
dejarían a Hally sin aliento.

... pero no fue así.

Por último, los niños llevaron
a Hally Tosis a un parque de atracciones.
Hally se quedaría sin aliento
en la montaña rusa, pensaron...

... pero tampoco fue así.

Los planes para cambiar el mal aliento
de Hally habían fallado. Sólo un milagro
podía salvarle. Muy tristes,
los tres amigos se dieron las buenas noches,
ignorando que el milagro
estaba en el horizonte.

Esa noche, cuando todos dormían profundamente,
dos ladrones entraron en la casa de los Tosis.
Iban de puntillas por las habitaciones
oscuras y silenciosas, cuando de repente
encontraron a Hally Tosis.

—¡Cuidado! —dijo uno de los ladrones—.
¡Hay un perro grande y espantoso!
—No seas tonto —cuchicheó el otro—.
Sólo es un perrito inofensivo.

Los dos ladrones rieron tontamente
al ver un perro tan amistoso.
—Este chucho no le haría daño
ni a una mosca —susurró un ladrón.
—¡Ven aquí, perrito! —dijo el otro.
Entonces Hally Tosis se acercó a ellos
y les dio un enorme lametón.

Cuando, a la mañana siguiente,
la familia Tosis se levantó,
encontraron a los dos ladrones
patitiesos en medio del salón.

¡Era un milagro!

La familia Tosis obtuvo
una buena recompensa por la entrega
de los ladrones y Hally Tosis no tardó
en convertirse en el perro policía
más famoso del país.

El señor y la señora Tosis
cambiaron de idea respecto a buscarle
un nuevo hogar: decidieron quedarse
con su maravilloso perro guardián.

Porque la vida sin Hally Tosis
sencillamente podría no tener *aliento*.